# Rumpelstilzchen

Drei Märchen der Brüder Grimm

nacherzählt von Franz Specht

**Deutsch als Fremdsprache**

**Niveaustufe A2**

Leichte Literatur

Mit Illustrationen von Verena Hansen

**Hueber Verlag**

1 ◀ 📄 Aufgabe vor dem (Weiter-)Lesen

📄 ▶ 2 Aufgabe nach dem Lesen

Hinweis zur Ausgabe mit Audio-CD:

| | |
|---|---|
| Rumpelstilzchen | Track 2–8 |
| Frau Holle | Track 9–15 |
| Vom Fischer und seiner Frau | Track 16–23 |



3. 2. 1. | Die letzten Ziffern
2014 13 12 11 10 | bezeichnen Zahl und Jahr des Druckes.
Alle Drucke dieser Auflage können, da unverändert,
nebeneinander benutzt werden.
1. Auflage

Herausgeber: Franz Specht, Weßling
Redaktion: Andrea Haubfleisch, Hueber Verlag, Ismaning
Umschlaggestaltung: Parzhuber und Partner, München
Fotogestaltung Cover: wentzlaff | pfaff | güldenpfennig kommunikation gmbh,
München
Coverfoto: © iStockphoto/NickyBlade
Layout: Lea-Sophie Bischoff, Hueber Verlag, Ismaning
Illustrationen: Verena Hansen
Zeichnungen: Gisela Specht, Weßling
Aufgaben: Franz Specht, Weßling
Druck und Bindung: Ludwig Auer GmbH, Donauwörth
Printed in Germany
ISBN 978-3-19-311673-4
ISBN 978-3-19-301673-7 (mit CD)

## Rumpelstilzchen

In einem kleinen Dorf hat einmal ein armer Müller[1] gelebt. Seine Frau war schon seit Jahren tot, nur seine Tochter hat noch bei ihm in der Mühle gewohnt. Sie war ein sehr schönes Mädchen und der Müller hat allen Leuten tolle Geschichten über sie erzählt: wie schön sie war, wie klug sie war und was sie alles konnte. Mit den Jahren sind seine Geschichten immer verrückter geworden. Einmal hat er sogar erzählt, dass seine Tochter Gold aus Stroh spinnen[2] kann.
Die Leute im Dorf haben ihren Müller gekannt. Sie haben gelacht und die Geschichte wie einen Witz weitererzählt.
So hat sie bald auch der König[3] gehört. Zuerst hat er auch nur gelacht, aber dann hat er gedacht: ‚Was ist, wenn es doch wahr ist? Vielleicht kann diese Müllerstochter wirklich Gold machen. Das wäre eine tolle Sache!' Gold konnte der König nämlich nie genug bekommen. Also hat er den Müller zu sich ins Schloss gerufen.

[1] der Müller, –
die Mühle, -n

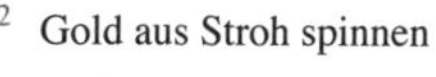

[2] Gold aus Stroh spinnen

[3] der König, -e

„Du sagst, dass deine Tochter das schönste Mädchen der Welt ist?“, fragt der König den Müller. „Glaubst du das wirklich?“
„Majestät“, antwortet der Müller, „ich glaube es nicht, ich weiß es. Sie müssen sie mal sehen, dann wissen Sie es auch.“
„Ich weiß nur, dass du ein Lügner[4] bist“, sagt der König. „Hast du nicht erzählt, dass deine Tochter Gold aus Stroh spinnen kann? Ist das etwa keine Lüge?“
„Nein“, sagt der Müller.
„Sie kann es also wirklich?“
„Manchmal.“
„Soso“, sagt der König.
Dann ruft er seine Wachen[5]. „Geht und holt mir die Müllerstochter. Außerdem brauche ich Stroh, viel Stroh!“
„Stroh?“, fragt der Müller.
„Sie soll Gold machen. Hoffentlich kann sie es.“
„Und wenn nicht?“
„Dann muss sie sterben.“

Am Abend kommen die Wachen mit der Müllerstochter ins Schloss zurück und bringen sie in einen kleinen Raum im Keller. Die junge Frau hat Angst. Warum musste sie mitkommen? Die Wachen haben es ihr nicht gesagt. Was will man von ihr? Sie weiß es nicht. Sie sieht nur, dass da mitten in dem dunklen Kellerraum ein Mann steht. Sein Gesicht kann sie nicht sehen.
„Bist du das schönste Mädchen auf der Welt?“, fragt der Mann.
„Wer sind Sie?“, fragt die Müllerstochter zurück. „Und was wollen Sie?“

[4] der Lügner, –
*… sagt nicht die Wahrheit, er lügt.*

[5] die Wachen (Pl.)
*Männer; sie arbeiten für den König.*

„Dich sehen“, sagt der Mann und macht eine kleine Lampe an.
45 „Weißt du jetzt, wer ich bin?“
„Ja, Majestät. Sie sind unser König.“
„Und ich sehe, dass du wirklich so hübsch bist, wie dein Vater sagt.“
„Ach, hören Sie nicht auf ihn. Mein Vater ist nicht ganz richtig
50 im Kopf. Er sagt viel, wenn der Tag lang ist.“

„Zum Beispiel, dass du Gold aus Stroh spinnen kannst?“
„Sie glauben doch nicht, dass das wahr ist?“
„Ich hoffe es, denn du sollst Gold für mich machen“, sagt der König und hält die Lampe hoch. Jetzt kann die Müllerstochter sehen, dass der Raum voll Stroh ist.
„Aber ich kann das nicht“, ruft sie. „Kein Mensch kann Gold machen.“
„Wenn du das Stroh bis morgen früh nicht zu Gold gemacht hast, musst du sterben. Das wäre schade, denn du bist wirklich wunderschön.“ Mit diesen Worten geht der König hinaus und die Wachen schließen die Tür.
„Bitte nicht!“, ruft das Mädchen. „Bitte, lasst mich raus!“
Aber niemand antwortet. Die Tür bleibt geschlossen. Die Müllerstochter setzt sich auf das Stroh und schließt die Augen.
„Ich will nicht sterben“, weint sie leise. „Ich bin doch noch so jung.“ Da hört sie plötzlich eine Stimme:
„Was gibst du mir, wenn ich das Stroh zu Gold mache?“
Schnell öffnet sie die Augen und sieht neben sich ein Männchen stehen. Es ist so klein und so komisch, dass sie fast lachen muss.
„Wer bist denn du?“, fragt sie. „Und woher kommst du?“
Aber der kleine Mann wiederholt nur:
„Was gibst du mir, wenn ich das Stroh zu Gold mache?“
„Was kann ich dir schon geben?“, sagt die Müllerstochter. „Du siehst ja selbst, dass ich nur ein Halsband[6] und einen Ring habe.“
Sie macht das Halsband ab und hält es dem Männchen hin.
„Da, möchtest du es haben?“
Der kleine Mann nimmt das Band und geht zum Spinnrad. Und dann spinnt er … Schnurr! Schnurr! Schnurr! … mit großer

[6] das Halsband, ¨-er

Eile das ganze Stroh zu Gold. Ist das nur ein Traum? Die
80 Müllerstochter kann es nicht glauben. Schnell nimmt sie ein Stück Gold in die Hand und siehe da: Es ist echt! Da lacht sie und freut sich und ruft:
„Danke! Vielen Dank!“ Aber da ist niemand mehr.
Das Männchen ist weg.

85 Am nächsten Morgen öffnen die Wachen die Tür. Der König kommt herein, sieht das Gold und macht einen Moment lang ein zufriedenes Gesicht.
„Darf ich jetzt nach Hause gehen?“, fragt die Müllerstochter.
Aber schon sind die Augen des Königs wieder kalt.
90 „Nein!“, sagt er. Und zu den Wachen: „Tötet sie!“
Das Mädchen versteht die Welt nicht mehr.
„Mich töten? Warum denn?“
„Hast du nicht gesagt, dass du kein Gold machen kannst? Du hast gelogen. Deshalb musst du jetzt sterben.“
95 Die Wachen nehmen ihre Schwerter[7].

[7] das Schwert, -er

„Nein!“, ruft die Müllerstochter. „Ich habe nicht gelogen. Ich habe doch selbst nicht gewusst, dass ich Gold machen kann.“
Da gibt der König den Wachen ein Zeichen. Die Wachen nehmen das Mädchen und bringen es in einen anderen Raum. Er ist zweimal so groß wie der erste und von unten bis oben voll Stroh.
„Ich gebe dir noch eine Chance“, sagt der König. „Wenn du bis morgen früh auch dieses Stroh zu Gold machen kannst, dann bist du frei.“
Der König geht, die Wachen schließen die Tür und die Müllerstochter ist wieder allein. Diesmal hat sie keine Angst.
„Hallo!“, ruft sie. „Komm doch noch einmal und hilf mir!“
Doch der kleine Mann kommt nicht. Den ganzen Tag und die halbe Nacht sucht sie im Stroh nach ihm. Aber sie findet ihn nicht. Da legt die Müllerstochter den Kopf in die Hände und weint.
„Jetzt ist alles aus“, denkt sie. „Jetzt muss ich sterben.“
In diesem Moment hört sie wieder die Stimme:
„Sag, was gibst du mir, wenn ich dir helfe?“
„Da bist du ja“, ruft sie voll Freude[8]. Schnell nimmt sie ihren Ring und gibt ihn dem kleinen Mann. Das Männchen nimmt den Ring und spinnt … Schnurr! Schnurr! Schnurr! … das ganze Stroh zu Gold.

„So, Majestät, jetzt müssen Sie mich gehen lassen“, sagt die Müllerstochter am nächsten Morgen. Der König antwortet nicht. Da und dort nimmt er ein Stück Gold in die Hand. Aber am Ende macht er wieder ein unzufriedenes Gesicht.
„Bitte, wann darf ich nach Hause?“, fragt das Mädchen.

[8] … voll Freude
*Sie freut sich.*

„Gar nicht“, antwortet er.
„Aber Sie haben es doch versprochen!“
125 „Tut mir leid, es ist zu wenig. Du hast nicht genug Gold gemacht.“
Der König gibt den Wachen ein Zeichen. Sie bringen die Müllerstochter in einen dritten Raum. Er ist viermal so groß wie der erste und von unten bis oben voll Stroh.
130 „Spinn mir das bis morgen früh zu Gold“, sagt der König. „Wenn du das schaffst, dann schenke ich dir das Leben und du sollst meine Frau werden.“

▶ 4

5 ◀

Wieder schließen die Wachen die Tür und zum dritten Mal ist die Müllerstochter allein. Sie ist so unglücklich, dass sie weinen
135 muss. Und gleich steht wieder das Männchen vor ihr.
„Sag, was gibst du mir, wenn ich dir helfe?“
„Mein Halsband und meinen Ring hast du schon. Ich kann dir nichts mehr geben.“
„Doch“, sagt das Männchen. „Gib mir dein Kind.“
140 „Was redest du? Ich habe doch kein Kind!“
„Noch nicht. Aber wenn ich dir helfe, dann heiratet dich der König und ihr kriegt Kinder. Wenn du mir dein erstes Kind gibst, dann helfe ich dir.“
„Nein!“, ruft die Müllerstochter, „mein Kind sollst du nicht
145 haben!“
„Wie du willst“, antwortet das Männchen und … Schwupp!
… weg ist es.
Der Tag geht vorbei, die Nacht geht vorbei und schon kommt der Morgen. Wie es wohl ist, wenn man stirbt?
150 Wie es wohl ist, wenn man tot ist?

Die arme Müllerstochter bekommt große Angst. Sie muss weinen und … Schwupp! … ist das Männchen wieder da.
„Möchtest du mir vielleicht etwas sagen?"
„Du hast gewonnen. Bitte hilf mir!"

155 So wird die schöne Müllerstochter Königin. Es dauert kein Jahr und sie bekommt ihr erstes Kind. Die junge Mutter ist so glücklich, dass sie das Männchen und ihr Versprechen einfach vergisst.

▶ 6

Doch an einem Abend – sie sitzt gerade neben dem Kinderbett
160 und singt ein Schlaflied für das Baby – steht der kleine Mann plötzlich wieder vor ihr.

„Was willst du?“, fragt sie voll Angst.
„Warum fragst du? Du weißt es doch.“
„Nein!“, ruft die Königin und nimmt das Baby in ihre Arme.
165 „Mein Kind bekommst du nicht.“
„Aber du musst es mir geben“, sagt das Männchen. „Du hast es
versprochen.“
„Willst du Geld haben? Oder willst du Gold? Ich gebe dir alles,
wenn du mir nur mein Baby lässt.“
170 „Nein!“, ruft das Männchen. „Das will ich alles nicht. Ich will
nur das Kind!“
„Bitte“, weint die Königin, „bitte gib mir doch eine Chance!“
„Na schön. Weißt du eigentlich, wie ich heiße?“
„Du hast mir deinen Namen nie gesagt.“
175 „Du hast drei Tage Zeit. Wenn du dann meinen Namen weißt,
darfst du das Kind behalten. Wenn nicht, nehme ich es mit und
du siehst es nie wieder“, sagt das Männchen und … Schwupp!
… ist es weg.
‚Sein Name?‘, denkt die Königin, ‚das kann ja nicht so schwer
180 sein. Jemand muss den kleinen Mann doch kennen.‘ Sie schickt
einen Boten[9] los. Er soll durchs ganze Land laufen und die
Leute nach dem Männchen fragen.

▶ 7
8 ◀

Am nächsten Tag – der Bote ist noch nicht zurück – steht das
Männchen plötzlich wieder vor der Königin.
185 „Nun? Weißt du meinen Namen schon?“, fragt es.
„Heißt du Christian?“, fragt die Königin.
„Nein, so heiße ich nicht“, sagt das Männchen.
„Oder Thomas?“

[9] der Bote, -n
*ein Helfer; er ist schnell und kennt das ganze Land.*

„So heiße ich auch nicht", antwortet das Männchen.
190 „Heißt du Hannes?", fragt die Königin weiter. „Lukas?
Valentin?" Die Königin fragt und fragt, bis sie keinen Namen
mehr weiß.
Aber das Männchen antwortet nur: „So heiße ich nicht."

Am zweiten Tag – der Bote ist noch immer nicht da – kommt
195 das Männchen wieder ins Schloss.
„Weißt du meinen Namen schon?", fragt es. Die Königin hat die
ganze Nacht in alten Büchern nach alten und seltenen Namen[10]
gesucht.
„Heißt du Wunibert?", fragt sie.
200 „Nein."
„Oder Ottokar?"
„Auch nicht."
„Eustachius?"
Die Königin fragt weiter, bis ihr kein Name mehr einfällt. Aber
▶ 9
205 das Männchen sagt immer nur: „Nein, so heiße ich nicht."

Am dritten Tag kommt endlich der Bote zurück. Er ist sehr
müde, denn er ist überall im ganzen Land gewesen und hat alle
Leute nach dem kleinen Mann gefragt.
„Na?", fragt die Königin. „Sag schnell: Wie heißt er denn nun?"
210 „Es tut mir leid, Majestät", antwortet der Bote, „kein Mensch
hat ihn gekannt."
„Dann ist also alles aus!", sagt die Königin traurig.
„Nein, Majestät", sagt der Bote. „Denn auf dem Heimweg bin
ich durch einen dunklen Wald gekommen. In seiner Mitte habe

[10] seltene Namen
*Diese Namen gibt es nicht oft. / Nur wenige Menschen heißen so.*

215 ich ein kleines Häuschen gesehen und vor dem Häuschen war
ein großes Feuer. Rund um das Feuer ist ein kleines, komisches
Männchen herumgetanzt und hat laut gerufen:

*„Heute back' ich, morgen brau'*[11] *ich,*
*übermorgen hol' ich der Königin ihr Kind.*[12]
220 *Ach wie gut, dass niemand weiß,*
*dass ich Rumpelstilzchen heiß'!"*

Da lacht die Königin und ihr glückliches Gesicht sagt dem
Boten, dass er seine Sache gut gemacht hat.

▶ 10 + 11

12 ◀

[11] brauen
*Getränke herstellen, z. B. Bier.*

[12] der Königin ihr Kind (ugs.) =
*das Königskind, das Kind der Königin*

Wenig später … Schwupp! … steht das Männchen wieder vor
225 der Königin.
„Die drei Tage sind vorbei“, sagt es. „Weißt du jetzt meinen
Namen?“
„Nein“, sagt sie und macht ein trauriges Gesicht.
„Ha!“, lacht das Männchen. „Das hab’ ich mir gedacht. Tja,
230 dann musst du wohl wieder raten. Na los, vielleicht hast du
Glück? Du hast noch drei Versuche.“
Die Königin denkt nach, dann sagt sie:
„Heißt du Fieselbein?“
„Nein“, ruft das Männchen. „Fieselbein heiße ich nicht.“
235 „Heißt du Pappsack?“
„Wieder falsch“, lacht das Männchen.
„Heißt du vielleicht … Rumpelstilzchen?“
Ein paar Sekunden lang steht das Männchen mit offenem Mund
da und sieht die Königin mit großen Augen an. Dann schimpft
240 es laut und böse:
„Das hat dir der Teufel[13] gesagt! Das hat dir der Teufel gesagt!“
Und … Schwupp! … ist es weg.
Nie wieder hat die Königin von ihm gehört.

[13] der Teufel, –

## Frau Holle

Es war einmal eine Mutter, die hatte zwei Töchter. Die eine war schön und fleißig, die andere war hässlich und faul. Aber nicht die Fleißige, nein, die Faule war Mutters Liebling. Immer hat sie das beste Essen und die schönsten Kleider bekommen.
Und die Fleißige? Sie muss die ganze Hausarbeit machen.
Von früh bis spät muss sie putzen und aufräumen, einkaufen, kochen, waschen und sich um den Garten kümmern. Trotzdem bekommt sie nur alte Kleider und schlechtes Essen. Nie hört sie ein freundliches Wort oder ein „Dankeschön“.
Das Wasser zum Kochen und Waschen holt sie aus einem tiefen Brunnen[14] im Garten. Eines Tages passt sie nicht richtig auf und fällt in den Brunnen. Sie fällt und fällt und plötzlich wird alles um sie herum schwarz.

Auf einer großen grünen Wiese mit wunderbaren Blumen wacht sie auf. Die Sonne scheint warm und die Vögel singen.
„Wie schön es hier ist!“, ruft sie. „Ich will ein bisschen spazieren gehen.“
Es dauert nicht lang, da kommt sie zu einem Backofen[15]. In dem heißen Ofen liegen drei große Brote und rufen:
„Hol uns bitte raus! Mach schnell, wir sind schon lange fertig!“
„Das sehe ich“, sagt das Mädchen, „Ihr seid schon fast zu dunkel.“
Und sie holt die Brote eins nach dem anderen aus dem Ofen.
„So ist es besser!“, sagen die Brote. „Das war sehr nett von dir. Vielen Dank!“

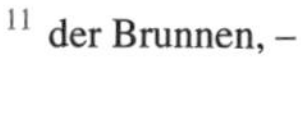

[11] der Brunnen, –

[15] der Backofen, ¨

„Bitteschön“, antwortet das Mädchen. „Ich habe es gern getan.“
Sie geht weiter und kommt zu einem Apfelbaum. An dem Baum hängen viele große rote Äpfel.
„Hallo, du da!“, ruft der Baum. „Komm schnell her! Meine
30 Äpfel sind reif.[16] Es sind so viele und sie sind so schwer. Bald kann ich sie nicht mehr tragen!“
Da läuft sie hin und nimmt die Äpfel, einen nach dem anderen. Sie passt gut auf, dass keiner kaputtgeht und legt sie alle ordentlich unter den Baum.
35 „Das tut gut!“, sagt der Baum. „Jetzt fühle ich mich wieder leicht und jung. Du bist ein gutes Mädchen! Vielen Dank für deine Hilfe!“
„Bitte, lieber Baum! Das hab' ich gern gemacht“, antwortet sie. Dann geht sie weiter. Langsam wird es Abend und die Sonne
40 geht unter. Da kommt das Mädchen zu einem kleinen Haus.
‚Bald wird es dunkel‘, denkt sie, ‚und ich habe noch keinen Platz zum Schlafen. Das Häuschen sieht nett aus. Vielleicht darf ich über Nacht hierbleiben. Fragen kostet nichts.‘
▶ 3
In diesem Moment geht die Haustür auf und eine Frau kommt
45 heraus. Sie ist alt und hat sehr lange gelbe Zähne.
‚Oh Gott‘, denkt das Mädchen, ‚die sieht ja schrecklich aus!‘
Sie will weglaufen, aber da ruft die Alte:
„Hab keine Angst, mein Kind! Ich tu dir nichts. Wenn du ordentlich und fleißig bist, darfst du hierbleiben, so lange es dir
50 gefällt. Und du sollst es gut haben bei mir.“
„Ich soll bei Ihnen bleiben?“, fragt das Mädchen. „Wer sind Sie denn?“
„Ich bin Frau Holle.“

[16] Meine Äpfel sind reif.
*Man kann die Äpfel jetzt essen.*

„Ordentlich und fleißig soll ich sein? Was soll ich denn tun?"

55 „Die Hausarbeit sollst du machen. Du weißt schon: putzen, waschen, kochen und so weiter. Besonders wichtig ist aber, dass du mein Bett gut machst. Komm mit nach oben, ich zeige es dir."

Im Schlafzimmer nimmt Frau Holle die große weiße Decke

60 vom Bett. Sie geht damit auf den Balkon hinaus und schüttelt sie, dass die Federn[17] fliegen.

„Siehst du", sagt sie, „so muss man das machen. Jetzt hol das Kopfkissen und zeig mir, dass du es auch kannst."

Das Mädchen holt Frau Holles Kissen und schüttelt es,

65 bis die Federn fliegen.

[17] die Feder, -n

„Genau so ist es richtig", freut sich Frau Holle. „Wenn man das Bett richtig schüttelt, dann schneit es oben auf der Welt."
„Wirklich?", ruft das Mädchen.
„Ja, wirklich!", sagt Frau Holle und lacht, dass man alle ihre
70 langen gelben Zähne sieht. „Na, was ist nun, meine Kleine? Möchtest du bei mir bleiben und mir helfen? Oder hast du immer noch Angst vor mir?"
„Nein", sagt das Mädchen, „ich habe keine Angst mehr."
Und so bleibt sie bei Frau Holle.
75 Tag für Tag, Woche für Woche, Monat für Monat arbeitet sie. Sie macht ihre Sache sehr gut. Im Haus ist alles sauber und ordentlich. Besonders fleißig kümmert sie sich um Frau Holles Bett. Jeden Tag geht sie auf den Balkon und schüttelt die Bettdecke und das Kopfkissen, dass die Federn nur so fliegen.
80 Frau Holle ist sehr zufrieden und das Mädchen fühlt sich wohl. ‚Hier ist es viel besser als zu Hause', denkt sie. ‚Niemand ist unfreundlich zu mir, keiner sagt ein böses Wort und zu essen bekomme ich auch genug. Ja, bei Frau Holle macht das Leben richtig Spaß.'

▸ 4

85 Aber dann merkt sie eines Tages, dass ihr doch etwas fehlt. „Ach, liebe Frau Holle", sagt sie. „Sie sind so nett zu mir, und es geht mir so gut bei Ihnen. Trotzdem bin ich manchmal traurig. Ich muss an meine Mutter und an meine Schwester denken und dann möchte ich wieder nach Hause zurück. Ist das
90 nicht komisch?"
„Nein, mein liebes Kind", sagt Frau Holle. „Das kann ich gut verstehen. Du hast Heimweh[18]. Du hast mir fleißig geholfen und dafür danke ich dir. Ich werde dich jetzt in deine Welt

[18] das Heimweh (Sg.); Heimweh haben
*nach Hause wollen*

zurückbringen." Sie nimmt das Mädchen an der Hand und geht mit ihr durch den Garten bis zu einer großen schweren Tür.
„Stell dich vor diese Tür und warte, bis sie aufgeht."
Das Mädchen tut es. Da öffnet sich die Tür, ein Regen aus Gold fällt auf das Mädchen und bleibt an ihrem Kleid hängen.
„Dieses Gold ist für dich, weil du deine Arbeit so gut gemacht hast", sagt Frau Holle. „Viel Glück! Denk an mich, wenn es schneit!"
Da geht das Mädchen durch die Tür und ist wieder zu Hause.

„Da ist sie ja wieder“, sagt die faule Schwester.

„Wo warst du denn?“, schimpft die Mutter. „Wie siehst du aus?
105 Was hast du da an deinem Kleid?“

„Das ist Gold, Mutter“, antwortet das Mädchen und erzählt von dem Brunnen, von Frau Holle mit den großen gelben Zähnen, von dem Federbett und von der Tür mit dem Goldregen.

„Und ich?“, ärgert sich die faule Schwester. „Bekomme ich
110 nichts? Warum hat sie so viel Gold! Ist sie vielleicht besser als ich?“

„Aber nein, mein Liebling“, sagt die Mutter. „Komm mit, ich will mit dir reden.“

Sie nimmt die hässliche Tochter an der Hand und geht mit ihr
115 zum Brunnen hinaus.

„Wenn diese Frau Holle sogar deiner Schwester etwas geschenkt hat, dann gibt sie dir vielleicht noch viel mehr. Also …“

„Also?“, fragt die faule Tochter.

Die Mutter zeigt auf den Brunnen.

120 „Nein!“, ruft das Mädchen. „Da will ich nicht rein!“

„Denk an das Gold!“

„Aber der Brunnen ist so tief!“

„Soll deine Schwester mehr haben als du?“

„Ich habe Angst.“

125 „Du schaffst das schon“, sagt die Mutter und gibt ihrer Tochter einen Stoß, dass sie in den Brunnen fällt. „Bring viel Gold mit!“, ruft sie ihr nach.

▶ 7 + 8
Das Mädchen fällt und fällt und plötzlich wird alles ganz schwarz.
9 ◀

130 Genau wie ihre Schwester wacht sie auf der Blumenwiese auf. Sie geht spazieren und kommt zu dem heißen Backofen. Wieder liegen drei große dunkle Brote darin und rufen:
„Wir sind schon lange fertig! Beeile dich! Hol uns hier raus!"
„Ja, das hättet ihr gern", lacht das Mädchen. „Holt euch
135 selbst raus! Soll ich mir für ein paar dumme Brote die Hände schmutzig machen?"
Sie geht weiter und kommt zu dem Apfelbaum. Er ist wieder voll mit großen roten Äpfeln.
„Bitte hilf mir!", ruft er. „Die Äpfel sind so schwer. Ich kann sie
140 nicht mehr tragen."
„Und wenn mir einer auf den Kopf fällt? Oder auf mein schönes sauberes Kleid? Nein, um deine Äpfel musst du dich schon selbst kümmern!", antwortet das Mädchen und geht weiter.
Weil sie dem Backofen und dem Baum nicht geholfen hat,
145 kommt sie schon mittags zu Frau Holles Haus.
„Hallo?", ruft sie. „Ist hier niemand? … Hallo? … Hallo!?"
Nach einer Weile geht die Tür auf und Frau Holle guckt heraus.
„Na endlich", sagt das Mädchen. „Sie sind Frau Holle, oder?"
„Woher weißt du das?", fragt Frau Holle.
150 „Sie haben so hässliche gelbe Zähne."
„Oh, vielen Dank! Was willst du von mir?"
„Ich möchte ein bisschen für Sie arbeiten."
„Ein bisschen arbeiten gibt es hier nicht. Bei mir muss man fleißig sein und vor allem muss man mein Bett …"
155 „Das Bett machen, putzen, waschen, kochen und so weiter. Ich weiß."
„Also gut, versuchen wir es. Komm rein!"

Am ersten Tag denkt das Mädchen noch an das Gold. Sie ist fleißig und macht alles sehr ordentlich.
160 Am zweiten Tag wird ihr die Arbeit schon zu viel und sie macht sie nicht mehr so genau.
Am dritten Tag hat sie keine Lust mehr und sitzt nur noch faul in ihrem Zimmer.
„Hast du mein Bett schon gemacht?“, fragt Frau Holle.
165 „Nein, ich mach’ es gleich“, sagt das faule Mädchen. Aber sie macht es nicht. Sie geht lieber in die Küche und isst Kuchen.
Da kommt Frau Holle wieder und fragt:
„Denkst du an mein Bett?“
„Ja, gleich!“, sagt das Mädchen. Aber dann legt sie sich aufs
170 Sofa und schläft ein. Jetzt hat Frau Holle genug.
„Los, steh auf!“, sagt sie. „Ich kann dich hier nicht brauchen. Ich bringe dich in deine Welt zurück.“ Sie nimmt das Mädchen an der Hand und führt sie zu der Tür im Garten.
‚Na endlich‘, freut sich das Mädchen. ‚Jetzt bekomme ich mein
175 Gold. Mutter hatte recht: Es war wirklich sehr einfach.‘
„Du musst dich dort …“, fängt Frau Holle an.
„… vor die Tür stellen, ich weiß“, sagt das Mädchen und stellt sich vor die Tür. „Und jetzt muss ich warten. Hoffentlich dauert es nicht so lang.“
180 Da geht die Tür auf und von oben kommt ein Regen aus schwarzem Pech[19]. Das Pech bleibt an ihrem Kleid hängen, an ihren Armen und Händen und auch in ihrem Gesicht.
„So!“, sagt Frau Holle. „Das hast du bekommen, weil du so frech und so faul warst.“
185 Dann geht die Tür zu und das Mädchen ist wieder zu Hause.

[19] das Pech (Sg.)
hier: *ein dunkler, schmutziger Stoff; aus Kohle*

„Du lieber Himmel!“, ruft die Mutter. „Mein armes Kind, wie siehst du denn aus? Und wo hast du unser Gold?“
„Sie hat mir keins gegeben“, weint das faule Mädchen. „Bitte Mama, hilf mir, ich sehe so schrecklich aus!“ Die Mutter holt
190 heißes Wasser und Seife. Aber so sehr sie auch waschen und putzen, das hässliche schwarze Pech geht nie mehr ab.

▶ 10 – 12

## Vom Fischer und seiner Frau

1 Es waren einmal ein Fischer und seine Frau. Die beiden waren so arm, dass sie in einem kleinen alten Hühnerstall[20] wohnen mussten.

Jeden Tag ist der Fischer ans Meer hinuntergegangen und hat
5 geangelt[21]. Von den Fischen haben seine Frau und er gelebt, denn etwas anderes hatten sie nicht.

Eines Tages hat der Fischer kein Glück beim Angeln.

Der Abend kommt und er hat noch keinen Fisch.

Doch plötzlich fühlt er etwas an der Angel.

10 ‚Ah! Jetzt kriege ich doch noch einen', freut er sich. ‚Wie schwer das geht! Das muss ein Dicker sein.'

Und wirklich holt er einen schönen großen Butt aus dem ruhigen klaren Wasser. Er nimmt ihn in die Hand und macht den Angelhaken[22] ab. Da sagt der Fisch zu ihm:

15 „Bitte, lieber Fischer, lass mich leben. Ich bin kein Butt. Ich bin ein verzauberter Prinz.[23]"

„Na so was", ruft der Mann „der kann ja reden! Nein, so einen möchte ich bestimmt nicht essen. Lieber gehe ich mit leerem Bauch ins Bett." Er bringt den Butt ins Wasser zurück und …
20 Schwupp! … ist der Fisch weg.

Zurück im Hühnerstall begrüßt ihn die Frau:

„Na? Was bringst du uns heute?"

„Nichts", sagt der Fischer.

„Das ist aber nicht viel", sagt die Frau. „Was bist du denn für
25 ein Fischer?"

[20] der Hühnerstall, ¨-e

[21] angeln, die Angel, -n

[22] der Angelhaken, –

[23] Ich bin ein verzauberter Prinz. = *„Eigentlich bin ich ein Königssohn." / In Wirklichkeit ist der Butt ein Königssohn.*

„Ich hatte ja einen Fisch an der Angel, einen ganz dicken Butt. Aber den konnte ich nicht mitbringen, denn das war ein verzauberter Prinz."
„So? Was hast du mit ihm gemacht?"
30 „Zurück ins Meer hab' ich ihn getan, was denn sonst?"
„Hast du dir was gewünscht?"
„Gewünscht?"
„Ja, gewünscht. Wenn ich einem verzauberten Prinzen das Leben schenke, wünsche ich mir wenigstens was von ihm."
35 „Was denn?"
„Mann, bist du dumm! Willst du dein ganzes Leben lang in diesem schmutzigen alten Hühnerstall wohnen? Geh sofort zum Meer, ruf den Butt und wünsch dir ein schönes sauberes Häuschen von ihm."
40 „Aber …"
„Kein Aber! Geh jetzt!"

▶ 2

Am Meer ist es so ruhig wie vorher.
Nur das Wasser hat ein wenig die Farbe gewechselt.
Es ist jetzt leicht grün und gelb.
45 ‚Wie soll ich den Butt bloß wiederfinden?', denkt der Fischer.
‚Und was soll ich ihm sagen?'
Er denkt und denkt und endlich ruft er ins Meer hinaus:

*„Mandje! Mandje! Timpe Te!*
*Buttje! Buttje in der See!*[24]
50 *Meine Frau, die Ilsebill,*
*Will nicht so, wie ich gern will."*

[24] Buttje in der See!
*„Butt im Meer!"*

Da kommt der Butt aus dem tiefen Wasser herauf und fragt:
„So? Was will sie denn?“
„Sie will, dass ich mir was von dir wünsche“, sagt der Mann.
55 „Sie möchte so gern ein schönes sauberes Häuschen haben.“
„Na, dann geh mal wieder zu ihr“, sagt der Butt. „Sie sitzt schon drin, in ihrem Häuschen.“

Der Fischer geht zurück und wirklich: Dort, wo der alte Hühnerstall war, steht jetzt ein hübsches neues Haus.
60 Seine Frau wartet schon auf ihn.
„Schnell, komm rein!“, ruft sie und zeigt ihm dann das Wohnzimmer, das Schlafzimmer und die Küche. „Hinter dem Haus ist ein schöner Gemüsegarten“, sagt sie. „Ein paar Hühner und Enten[25] haben wir auch. Jetzt müssen wir nicht mehr jeden
65 Tag Fisch essen. Sag selbst: Ist das nicht besser als der hässliche Stall?“
„Recht hast du“, freut sich der Mann. „Nun können wir so richtig schön leben, wir beide.“
„Wir wollen es versuchen“, sagt die Frau.
70 Aber schon ein paar Tage später hat sie einen neuen Plan.
„Dieses Häuschen“, sagt sie, „ist doch sehr eng und der Garten ist auch nicht groß genug. Ich möchte, dass du noch mal zu dem Butt gehst. Sag ihm, dass wir lieber ein richtiges Schloss[26] haben wollen.“
75 „Was?“, ruft der Mann. „Er hat uns das schöne Häuschen gegeben. Ich kann doch nicht schon wieder zu ihm gehen. So was tut man nicht!“
„Quatsch!“, sagt die Frau. „Er ist ein verzauberter Prinz. Für ihn ist das gar kein Problem. Geh jetzt und mach dir keine Sorgen.“ ▶ 3

80 Der Fischer macht sich aber Sorgen.
Trotzdem geht er zum Meer hinunter. Das Wasser ist noch immer ruhig, aber es hat schon wieder die Farbe gewechselt.
Es ist jetzt ein bisschen lila und grau und dunkelblau.
Der Fischer ruft:

[25] das Huhn, ¨-er
die Ente, -n

[26] das Schloss, ¨-er

85 *„Mandje! Mandje! Timpe Te!*
*Buttje! Buttje in der See!*
*Meine Frau, die Ilsebill,*
*Will nicht so, wie ich gern will."*

Sofort kommt der Butt aus dem tiefen Wasser herauf und fragt:
90 „So? Was will sie denn nun?"
„Es tut mir leid, dass ich dich noch mal störe", sagt der Mann.
„Meine Frau sagt, das Häuschen ist zu klein. Sie möchte lieber ein Schloss haben."
„Na, dann geh mal hin", sagt der Butt. „Sie wartet schon auf
95 dich."

Und richtig: Dort, wo das nette kleine Häuschen war, steht jetzt ein großes wunderbares Schloss.
Zusammen mit seiner Frau und vielen Dienern[27] geht der Fischer durch die herrlichen Räume mit den großen hellen
100 Fenstern. Alle Tische und alle Stühle sind aus Silber und Gold[28].
Hinter dem Schloss sind ein Pferdestall und ein Park mit Tieren und Blumen.
„Ach, ist das schön", sagt der Mann. „Nun können wir aber zufrieden sein."
▶ 4
105 „Gucken wir mal", sagt seine Frau. „Jetzt bin ich müde. Komm, wir gehen ins Bett!"
Am nächsten Morgen weckt sie ihren Mann schon ganz früh.
„Wach auf", sagt sie. „Du musst noch mal zum Butt gehen. Ich hatte gerade eine Idee."
110 „Warum? Was willst du denn jetzt schon wieder?"

[27] der Diener, –
*… arbeitet für jemand anderen, er tut alles für ihn.*

[28] das Silber (Sg.) das Gold (Sg.)

„Wenn wir ein Schloss haben, müssen wir auch König und Königin sein."
„Bist du verrückt?", ruft der Mann. „Das möchte ich nicht."
„Ich schon", sagt die Frau. „Und dein Butt versteht das sicher
115 auch. Er ist ja selbst ein verzauberter Prinz."
„Quatsch! Komm, lass mich noch ein bisschen schlafen!"
„Nein. Du stehst jetzt auf und gehst zum Butt!"

Kurz danach steht der Fischer wieder unten am Meer.
Das Wasser ist jetzt dunkelgrau und nicht mehr ganz so ruhig.

120 *„Mandje! Mandje! Timpe Te!*
*Buttje! Buttje in der See!*
*Meine Frau, die Ilsebill,*
*Will nicht so, wie ich gern will."*

Da kommt der Butt wieder herauf.
125 „Was will sie denn schon wieder?", fragt er.
„Sie gibt keine Ruhe. Wenn sie ein Schloss hat, sagt sie, dann will sie auch Königin sein."
„Geh nur zurück", sagt der Butt. „Sie ist es schon."

Der Fischer geht zurück und wirklich: Vor dem Schloss stehen
130 hundert königliche Soldaten[29].
Im Schloss sitzt seine Frau auf einem großen silbernen Thron[30].
Auf dem Kopf hat sie eine goldene Krone[31] mit wunderschönen Diamanten. Links und rechts von ihr stehen hübsche junge Hofdamen.

5 

[29] der Soldat, -en

[30] der Thron, -e
*ein besonders schöner Stuhl für den König*

[31] die Krone, -n

135 „So, jetzt bist du also Königin“, sagt der Mann.
„Jetzt bin ich Königin“, antwortet sie.
„Bist du nun zufrieden?“
„Nein, ich will jetzt Kaiserin werden. Kaiser ist mehr als König.
Du musst also noch mal zum Butt gehen.“
140 „Nein, das mache ich nicht“, ruft der Fischer.
„Du gehst! Sofort!“

Wieder kommt der Fischer ans Meer.
Dort geht nun ein starker Wind und das Wasser ist schwarz.

*„Mandje! Mandje! Timpe Te!*
145 *Buttje! Buttje in der See!*
*Meine Frau, die Ilsebill,*
*Will nicht so, wie ich gern will.“*

Vor Angst hat der Fischer ganz leise gesprochen.
Aber der Butt hat es trotzdem gehört.
150 „Was will sie denn?“, fragt er.
„Jetzt will sie auch noch Kaiserin werden.“
„Geh nur zurück“, sagt der Butt. „Sie ist es schon.“

Nun ist das Schloss noch größer und schöner und es stehen
noch mehr Soldaten davor. Der Thron ist noch höher und
155 ganz aus Gold. Die Frau hat eine Kaiserkrone auf dem Kopf,
zweimal so hoch und dreimal so schwer wie die Königskrone.
Sie sitzt oben auf ihrem Thron und um sie herum stehen Könige
und Königinnen aus der ganzen Welt.

„Jetzt bist du Kaiserin“, sagt der Mann zu ihr.

160 „Jetzt bin ich Kaiserin.“

„Hoffentlich bist du nun zufrieden. Höher als Kaiser geht es nämlich nicht.“

„Doch“, sagt die Frau. „Du musst sofort zum Butt zurück. Noch heute will ich Papst[32] werden.“

▶ 6

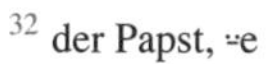

[32] der Papst, ¨-e

165 „Papst!?“, ruft der Mann. „Das geht aber nun wirklich nicht. Der Butt kann dich doch nicht zum Heiligen Vater machen.“
„Warum denn nicht?“, fragt die Frau. „Wenn er Kaiser kann, kann er auch Papst. So, und nun geh und tu, was ich dir sage.“

Unten am Meer ist es gar nicht mehr gemütlich. Das Wasser
170 sieht aus wie kochende Suppe und der Wind ist so stark, dass man fast nicht mehr stehen kann. Ganz oben ist der Himmel noch hell, aber unten ist er orangegelb wie bei einem schweren Unwetter. Voll Angst ruft der Fischer:

*„Mandje! Mandje! Timpe Te!*
175 *Buttje! Buttje in der See!*
*Meine Frau, die Ilsebill,*
*Will nicht so, wie ich gern will.“*

Sofort kommt der Butt und fragt:
„Was will sie denn?“
180 „Ich weiß, es ist unmöglich, aber jetzt möchte sie auch noch Papst werden.“
„Geh nur zurück“, sagt der Butt. „Sie ist es schon.“

Das Papstschloss ist noch schöner und noch größer als das Kaiserschloss.
185 Der Papstthron ist so hoch wie ein Berg.
Tausend helle Kerzen stehen links und rechts vom Thron, manche so hoch wie Türme. Der Fischer schaut nach oben. Er kann seine Frau fast nicht sehen, so weit ist sie weg.

„Jetzt bist du Papst“, ruft er hinauf.
„Ja, Papst“, ruft die Frau von oben zurück.
„Nun musst du aber zufrieden sein. Etwas Höheres als den Papst gibt es nicht.“
„Mal sehen“, sagt die Frau. „Es ist spät und ich bin müde. Gehen wir schlafen.“

Sie gehen ins Bett und der Fischer schläft bald ein.
Seine Frau findet aber keine Ruhe.
‚Soll das wirklich schon das Ende sein?‘, denkt sie.
‚Es muss doch noch was Höheres geben.‘
Die ganze Nacht liegt sie wach, aber sie hat keine Idee.
Dann kommt der Morgen und sie sieht die Sonne aufgehen.
Da weckt sie schnell ihren Mann.
„Wach auf!“, ruft sie. „Du musst gleich noch mal zum Butt gehen.“
„Warum denn?“, fragt der Mann. „Du hast doch schon alles: Du bist Königin, Kaiserin und Papst. Du wohnst im größten Schloss der Welt und alle Leute müssen tun, was du sagst.“
„Ja, die Leute. Aber nicht die Sonne und der Mond.“
„Tja, meine Gute“, lacht der Mann. „Du bist eben nicht der liebe Gott.“
„Genau deshalb sollst du noch mal zum Butt gehen.“
Der Mann erschrickt.
„Hör auf!“, ruft er. „Mit so was macht man keine Witze.“
„Glaubst du wirklich, ich mache Witze?“, sagt sie und ihr Gesicht sieht plötzlich schrecklich böse aus. „Geh hin und sag ihm: Ich will sein wie der liebe Gott!“

Unten am Meer ist ein schlimmes Unwetter[33].
Der Himmel ist schwarz und es donnert und blitzt[34].
Ein schrecklicher Sturm[35] macht die Wellen[36] so hoch wie Häuser.
Der Fischer hat Angst um sein Leben.
220 Trotzdem ruft er:

*„Mandje! Mandje! Timpe Te!*
*Buttje! Buttje in der See!*
*Meine Frau, die Ilsebill,*
*Will nicht so, wie ich gern will."*

225 Da kommt der Butt und fragt:
„Was will sie denn jetzt noch?"
„Sie möchte so sein wie der liebe Gott."
„Geh nur zurück zu ihr", sagt der Butt. „Jetzt sitzt sie wieder im Hühnerstall."

230 Genau so war es. Das Schloss war weg, die Soldaten, die Diener und die Hofdamen waren weg, der Thron und die Krone waren weg und die Frau hatte wieder ihre alten Kleider an. Und wenn der Fischer und seine Frau nicht gestorben sind, dann wohnen sie bis heute in ihrem kleinen alten Hühnerstall.

▶ 9

[33] das Unwetter, –
*starker Wind, Regen, Gewitter*

[36] die Welle, -n

[34] blitzen und donnern
*Bei einem Gewitter blitzt und donnert es; man sieht Blitze und hört Donner.*

[35] der Sturm, ¨-e
*sehr starker Wind*

**1 Was ist richtig? Kreuzen Sie an.**

(Mehrere Antworten können richtig sein.)

1 Der Müller erzählt, dass seine Tochter …

- a ❍ Stroh lieber mag als Gold.
- b ❍ aus Gold Stroh machen kann.
- c ❍ aus Stroh Gold machen kann.

2 Die Leute im Dorf …

- a ❍ denken, dass der Müller verrückt ist.
- b ❍ glauben, dass seine Geschichte wahr ist.
- c ❍ lachen über die Geschichte.

3 Der König im Schloss denkt:

- a ❍ ‚Na, so ein Quatsch!'
- b ❍ ‚Wer weiß, vielleicht stimmt das ja?'
- c ❍ ‚Pah! Wen interessiert schon Gold?'

**2 In ihrer Todesangst schreibt die Müllerstochter eine Nachricht. Leider kann man manche Wörter nicht richtig lesen. Können Sie helfen?**

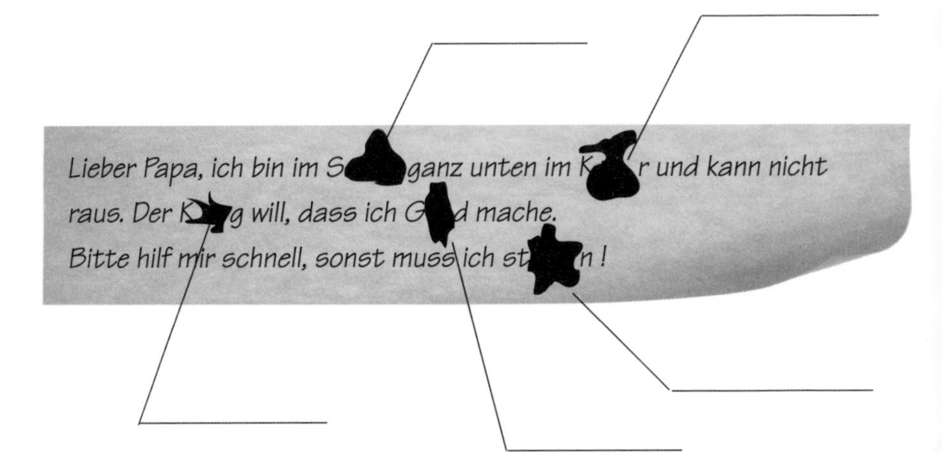

**3 Richtig (r) oder falsch (f)? Kreuzen Sie an.**

| | | r | f |
|---|---|---|---|
| **a** | Im Keller war plötzlich ein kleiner Mann. | ○ | ○ |
| **b** | Die Müllerstochter hat das Stroh zu Gold gemacht. | ○ | ○ |
| **c** | Sie hat dem kleinen Mann ihren Ring gegeben. | ○ | ○ |
| **d** | Der kleine Mann hat der Müllerstochter geholfen. | ○ | ○ |
| **e** | Der König wollte plötzlich noch mehr Gold haben. | ○ | ○ |
| **f** | Der König hat die Müllerstochter freigelassen. | ○ | ○ |

**4 Arme Müllerstochter! So viele Dinge gehen ihr durch den Kopf. Über wen denkt sie nach? Über den König (K), den kleinen Mann (M) oder ihren Vater (V)? Ergänzen Sie.**

**a** Ring und Halsband sind weg. Jetzt kann ich ihm nichts mehr geben.

M

**b** Er heiratet mich, sagt er. Meine Meinung dazu interessiert ihn gar nicht!

___

**c** Interessant: Er kommt immer nur, wenn ich weine.

___

**d** Ach, warum muss er allen Leuten so dumme Geschichten erzählen?

___

**e** Er hat es doch versprochen! Er ist so ein schrecklicher Lügner!

___

**5 Was meinen Sie? Kreuzen Sie an oder notieren Sie.**

| | | ja | nein |
|---|---|---|---|
| a | Hilft der kleine Mann der Müllerstochter noch einmal? | ❍ | ❍ |
| b | Wenn ja, was möchte er dieses Mal von ihr haben? | | |
| | ______________________________ | | |
| c | Wenn der König zum dritten Mal Gold bekommt, heiratet er die Müllerstochter dann wirklich? | ❍ | ❍ |

**6 Korrigieren Sie Ihre Antworten in Aufgabe 5.**

**7 Ergänzen Sie.**

a Der kleine Mann erinnert die Königin an ihr V _ _ _ _ _ _ _ _ _ _ n.

b Die Königin möchte dem kleinen Mann ihr _ _ _ _ aber nicht geben.

c Weil sie weint, gibt der kleine Mann der Königin noch eine Ch_ _ _e.

d Wenn sie in den nächsten _ _ _ _ Tagen seinen N _ _ _ _ weiß, darf sie das _ _ _ _ behalten.

e Ein B_ _ _ soll überall nach dem Männchen fragen.

**8 Was meinen Sie denn, wie der kleine Mann heißt? Notieren Sie.**

Ich denke, er heißt ______________________________.

**9 Schon zweimal war das Männchen da und die Königin hat viele verschiedene Vornamen geraten. Welche stehen im Text? Notieren Sie sie der Reihe nach.**

Christian, ______________, ______________, ______________,

______________, ______________, ______________, Eustachius.

**10 Was hat der Bote gesehen? Ergänzen Sie.**

Mann • ~~Wald~~ • Rumpelstilzchen • Häuschen • back'
Feuer • getanzt • Mitte • brau' • Kind

Der Bote ist durch einen dunklen __Wald__ gekommen. In der _______ war ein kleines ____________ und davor ein großes _______ . Ein kleiner _______ hat _________ und dabei gerufen: „Heute _______ ich, morgen _______ ich, übermorgen hole ich der Königin ihr _______ . Ach wie gut, dass niemand weiß, dass ich _________________ heiß'!"

**11 Vergleichen Sie mit Aufgabe 8.**
**Haben Sie den richtigen Namen notiert?**

**12 Gleich kommt der kleine Mann zum dritten Mal. Was passiert, wenn die Königin ihm den richtigen Namen sagt? Was meinen Sie? Kreuzen Sie an oder notieren Sie und lesen Sie danach bis zum Ende.**

**a** ❍ Das Männchen wird zu einem schönen großen Mann.
**b** ❍ Das Männchen wird selbst zu Gold.
**c** ❍ Das Männchen wird zu Stroh.
**d** ❍ Ich glaube, etwas anderes passiert, nämlich:

________________________________________

**1 Welche Wörter passen mehr zum roten, welche mehr zum blauen Jungen? Ordnen Sie zu.**

*ordentlich*

*hässlich*

*sauber*

*frech*

*unhöflich*

*nett*

*egoistisch*

*sympathisch*

*unpünktlich*

*fleißig*

*faul*

*schön*

*unfreundlich*

**2 Was passt? Kreuzen Sie an.**

| | Die schöne Tochter | Die hässliche Tochter |
|---|---|---|
| **a** ist Mutters Liebling. | ❍ | ❍ |
| **b** trägt alte Kleider. | ❍ | ❍ |
| **c** isst gutes Essen. | ❍ | ❍ |
| **d** muss die Hausarbeit machen. | ❍ | ❍ |
| **e** hat schöne Kleider. | ❍ | ❍ |
| **f** bekommt schlechtes Essen. | ❍ | ❍ |
| **g** macht die Gartenarbeit. | ❍ | ❍ |

**3 Das schöne Mädchen ist in den Brunnen gefallen. Was hat sie danach gemacht? Nummerieren Sie.**

| | |
|---|---|
| **a** Sie hat alle Äpfel vom Baum genommen. | ☐ |
| **b** Sie ist auf einer schönen Wiese aufgewacht. | 2 |
| **c** Sie ist zu einem Backofen gekommen. | ☐ |
| **d** Sie ist zu einem kleinen Haus gekommen. | ☐ |
| **e** Sie ist spazieren gegangen. | ☐ |
| **f** Sie ist in den Brunnen gefallen. | 1 |
| **g** Sie hat drei Brote aus dem Backofen geholt. | ☐ |
| **h** Sie ist zu einem Apfelbaum gekommen. | ☐ |

**4 Welche Antworten sind richtig? Kreuzen Sie an.**

(Mehrere Antworten können richtig sein.)

**1** Das Mädchen sieht Frau Holle zum ersten Mal und denkt:

**a** ❍ ‚Sie sieht aus wie meine Mutter!'

**b** ❍ ‚Sie sieht furchtbar aus!'

**c** ❍ ‚Was für eine nette alte Frau!'

**2** Was soll das Mädchen bei Frau Holle machen?

**a** ❍ Sie soll in Frau Holles Bett schlafen.

**b** ❍ Sie soll bei Frau Holle arbeiten.

**c** ❍ Sie soll Frau Holles Bett machen.

**3** Wenn man Frau Holles Bett richtig schüttelt, dann …

**a** ❍ hat man keine Angst mehr vor Frau Holle.

**b** ❍ werden Frau Holles Zähne gelb.

**c** ❍ fällt auf der Welt Schnee.

**4** Wie findet das Mädchen sein Leben bei Frau Holle?

**a** ❍ Es geht ihr gut dort.

**b** ❍ Sie findet das Leben dort besser als zu Hause.

**c** ❍ Es gefällt ihr überhaupt nicht.

**5 Richtig (r) oder falsch (f)? Kreuzen Sie an.**

| | | r | f |
|---|---|---|---|
| **a** | Das Mädchen möchte wieder nach Hause. | ❍ | ❍ |
| **b** | Frau Holle hat Heimweh. | ❍ | ❍ |
| **c** | Frau Holle ist nicht sehr zufrieden mit dem Mädchen. | ❍ | ❍ |
| **d** | Das Mädchen muss Frau Holle Gold geben. Dann darf es wieder nach Hause gehen. | ❍ | ❍ |
| **e** | Das Mädchen muss durch eine große Tür gehen. | ❍ | ❍ |
| **f** | Nach einem Goldregen ist das Kleid voll Gold. | ❍ | ❍ |

**6 Wie geht es jetzt zu Hause weiter? Was meinen Sie? Markieren Sie ein bis drei Sätze.**

Die Mutter und die hässliche Schwester …

a ❍ sind sehr glücklich.

b ❍ ärgern sich.

c ❍ schimpfen.

d ❍ freuen sich, dass die Schöne nicht tot ist.

e ❍ nehmen der Schönen das Goldkleid weg.

f ❍ tanzen im Wohnzimmer.

g ❍ wollen mehr Gold haben.

h ❍ sind schon lange tot und die Schöne ist jetzt allein.

**7 Vergleichen Sie mit Ihren Antworten bei Aufgabe 6.**

**8 Wie kommt die hässliche Tochter in den Brunnen? Kreuzen Sie an.**

a ❍ Die hässliche Tochter springt in den Brunnen.

b ❍ Die Mutter stößt die hässliche Tochter in den Brunnen.

**9 Wie geht die Geschichte jetzt weiter? Was meinen Sie? Kreuzen Sie an.** ◀ 📄

| | | ja | nein |
|---|---|---|---|
| a | Kommt die hässliche Schwester auch zu Frau Holle? | ❍ | ❍ |
| b | Kommt sie wieder nach Hause zurück? | ❍ | ❍ |
| c | Wenn ja, bringt sie Gold mit? | ❍ | ❍ |

**10 Vergleichen Sie mit Ihren Markierungen bei Aufgabe 9.** 📄▶

**11 Ein Rätsel**

**1 Wer hat was gesagt? Ergänzen Sie zuerst (M) für das Mädchen und (H) für Frau Holle.**

| | | | |
|---|---|---|---|
| a __M__ | „Ich möchte ein bisschen für Sie arbeiten." | ☐ | (I) |
| b __M__ | „Soll ich mir für ein paar dumme Brote die Hände schmutzig machen?" | 1 | (S) |
| c ______ | „Mama, hilf mir, ich sehe so schrecklich aus!" | ☐ | (H) |
| d ______ | ‚Na endlich! Jetzt bekomme ich mein Gold.' | ☐ | (E) |
| e ______ | „Ich kann dich hier nicht brauchen." | ☐ | (P) |
| f ______ | „Sie haben so hässliche gelbe Zähne." | ☐ | (E) |
| g ______ | „Das hast du bekommen, weil du so frech und so faul warst." | ☐ | (C) |
| h ______ | „Nein, um deine Äpfel musst du dich schon selbst kümmern!" | 2 | (O) |
| i ______ | „Bei mir muss man fleißig sein." | ☐ | (N) |

**2 Nummerieren Sie die Sätze. Was war zuerst und was danach?**

**3 Schreiben Sie jetzt die Lösung. Es ist eine Frage.**

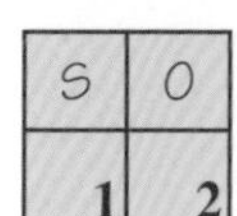


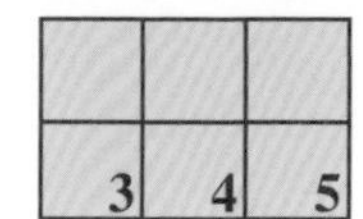


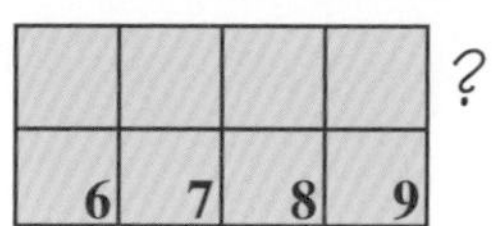


?

**12 Extra-Aufgabe für Fleißige! Zu welchem Mädchen passen diese alten deutschen Sprichwörter? Zur Schönen (S), zur Hässlichen (H) oder zu beiden (B)?**

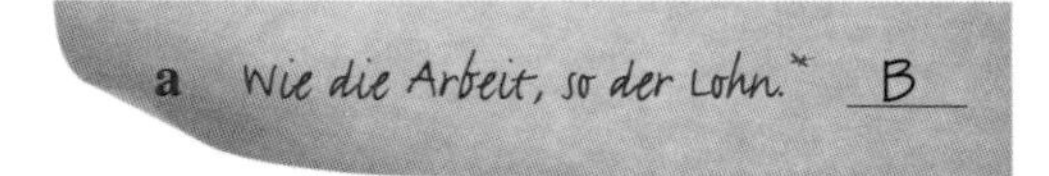


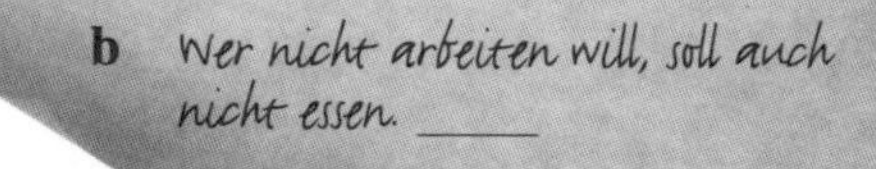


**c** Arbeit macht das Leben süß. ____

**d** Ohne Fleiß kein Preis.** ____

**e** Fleiß bringt Brot,
Faulheit bringt Not.*** ____

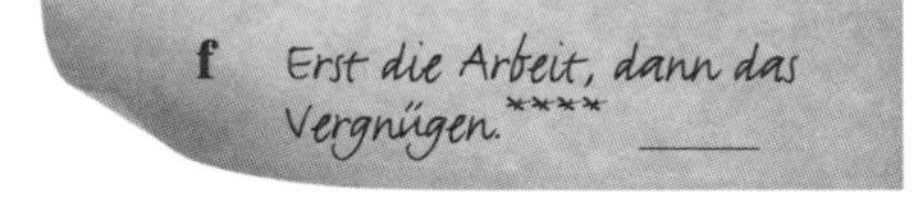


* *Lohn bekommt man für die Arbeit.*
** *‚Preis' bedeutet hier ‚Erfolg'.*
*** *Wenn man arm ist, ist man in ‚Not'.*
**** *Vergnügen ist ein anderes Wort für ‚Spaß'.*

**1 Zufriedenheit* … Was brauchen Sie dazu? Ordnen Sie zehn oder mehr Wörter zu.**

Das brauche ich …

| ... unbedingt. | ... ein bisschen. | ... gar nicht. |
| --- | --- | --- |
| ______ | ______ | ______ |
| ______ | ______ | ______ |
| ______ | ______ | ______ |
| ______ | ______ | ______ |
| ______ | ______ | ______ |
| ______ | ______ | ______ |

*Musik • Freunde • Geld • Schmuck • Auto • Wein • Haus • Wohnung • Motorrad • Reisen • Hobby • Sport • Arbeit • Lachen • Gespräche • Tanzen • Singen • Hund • Katze • Familie • Essen • Religion • Kleidung • Gesundheit • Ruhe • Schokolade*

* *Zufriedenheit = zufrieden sein*

**2 Zu jedem Bild gehören drei Sätze. Ordnen Sie zu.**

„Fischer“

„Butt“

„Frau“

b, ____________ ____________ ____________

**a** Ich lebe im Meer.

**b** ~~Ich habe eine Frau.~~

**c** Mein Mann ist dumm, deshalb sind wir arm.

**d** Meinem Mann muss man sagen, was er tun soll.

**e** Ich gehe jeden Tag angeln.

**f** Ich bin ein Prinz.

**g** Meine Frau und ich leben im Hühnerstall.

**h** Ich habe einen Mann.

**i** Ich bin verzaubert.

**3 Richtig (r) oder falsch (f)? Kreuzen Sie an.**

| | | r | f |
|---|---|---|---|
| **a** | Die Frau heißt Ilsebill. | ❍ | ❍ |
| **b** | Der Butt kann zaubern. | ❍ | ❍ |
| **c** | Die Frau findet das Haus zu groß. | ❍ | ❍ |
| **d** | Der Fischer möchte lieber ein Schloss haben. | ❍ | ❍ |
| **e** | Der Fischer bekommt das Haus als Dankeschön, weil er den Butt nicht getötet* hat. | ❍ | ❍ |

** töten = jemanden tot machen, ihm das Leben nehmen*

**4 Mehr, mehr, mehr! Ordnen Sie zu.**

| Hühnerstall | Haus | Schloss |
|---|---|---|
| g | b | ________ |
| | ________ | ________ |
| | ________ | ________ |
| | | ________ |
| | | ________ |

a großer Park
b ~~Hühner und Enten~~
c Tische und Stühle aus Gold
d Gemüsegarten
e Wohnzimmer, Schlafzimmer und Küche
f Pferdestall
g ~~jeden Tag Fisch~~
h viele Diener
i herrliche Räume

**5 Wie geht die Geschichte weiter? Was meinen Sie? Kreuzen Sie an, lesen Sie sieben Zeilen weiter und vergleichen Sie dann Ihre Antwort.**

a ❍ Jetzt ist die Frau Königin und kann endlich zufrieden sein.
b ❍ Die Frau findet ‚Königin sein' bald nicht mehr toll genug.
c ❍ Der Mann bekommt Lust und möchte jetzt auch König sein.

**6 Welche Antworten sind richtig? Kreuzen Sie an.**

(Mehrere Antworten können richtig sein.)

**1** Warum wollte die Frau unbedingt Kaiserin werden?

a ❍ Weil ihr so schrecklich langweilig war.
b ❍ Weil Kaiser noch wichtiger als Könige sind.
c ❍ Weil man als Kaiserin eine größere Krone hat.

**2** Warum spricht der Fischer so leise mit dem Butt?

**a** ❍ Weil er Angst vor ihm hat.

**b** ❍ Weil er schreckliche Halsschmerzen hat.

**c** ❍ Weil er es schlimm findet, dass seine Frau immer mehr haben will.

**3** Ist die Frau jetzt endlich zufrieden?

**a** ❍ Sie muss zufrieden sein; mehr als Kaiserin geht nämlich nicht.

**b** ❍ Sie ist nicht zufrieden, weil die Kaiserkrone zu schwer ist.

**c** ❍ Sie ist nicht zufrieden, weil sie jetzt lieber Papst sein möchte.

**7** **Projekt: Wasser, Wind und Wetter.** Fünfmal hat der Fischer sich nun etwas vom Butt gewünscht. Jedesmal waren Wasser und Wetter anders. **Sehen Sie im Text nach. Ordnen Sie dann zu.**

| Wunsch: Sie will … | … ein Haus | … ein Schloss | … Königin sein | … Kaiserin sein | … Papst werden |
|---|---|---|---|---|---|
| Wasser, Wind und Wetter: | c, f | | | | |

**a** Das Wasser ist dunkelgrau.

**b** Der Himmel ist wie bei einem schweren Unwetter.

**c** ~~Am Meer ist es ruhig.~~

**d** Das Wasser ist noch immer ruhig.

**e** Das Wasser ist wie kochende* Suppe.

**f** ~~Das Wasser ist grün und gelb.~~

**g** Das Wasser ist nicht mehr ganz so ruhig.

**h** Es geht ein starker Wind.

**i** Der Wind ist so stark, dass man nicht mehr stehen kann.

**j** Das Wasser ist schwarz.

**k** Das Wasser ist lila, grau und dunkelblau.

** kochend = 100° C heiß (oder noch heißer)*

**8 Was kann sich die Frau jetzt noch wünschen? Und wie könnte das Märchen enden? Notieren Sie hier Ihre Meinung und lesen Sie dann bis zum Ende.**

Sie könnte sich noch wünschen, dass ______________________________

Am Ende ______________________________________________

**9 Extra-Info für Sprichwort-Freunde! Diese drei alten deutschen Sprichwörter passen sehr gut zu dem Märchen „Vom Fischer und seiner Frau“. Gibt es in Ihrer Sprache auch Sprichwörter zum Thema „Zufriedenheit“?**

Zufriedenheit ist der größte Reichtum.*

Zufrieden sein macht Wasser zu Wein.

Zufriedenheit wohnt mehr in Hütten** als in Palästen.***

*Wenn man viel Geld hat, lebt man im Reichtum.*
** *Hütte = sehr kleines Haus*
*** *Palast = Schloss*

## Rumpelstilzchen

**1** 1c 2a 2c 3b

**2** Schloss, Keller, König, Gold, sterben
**3** richtig: a, d, e
falsch: b, c, f

**4** a M b K c M d V e K

**6** a ja
b Ihr Kind / Er möchte ihr Kind haben.
c ja

**7** a Versprechen
b Kind
c Chance
d drei, Namen, Kind
e Bote

**9** Christan, Thomas, Hannes, Lukas, Valentin, Wunibert, Ottokar, Eustachius

**10** Wald; Mitte, Häuschen, Feuer; Mann, getanzt; back´, brau´, Kind; Rumpelstilzchen

**11** Rumpelstilzchen

## Frau Holle

**1** rot: schön, ordentlich, sauber, fleißig, nett, sympathisch
blau: frech, unpünktlich, unfreundlich, faul, unhöflich, hässlich, egoistisch

**2** Schöne Tochter: b, d, f, g
Hässliche Tochter: a, c, e

**3** a 7 b 2 c 4 d 8 e 3 f 1 g 5 h 6

**4** 1b 2b 2c 3c 4a 4b

**5** richtig: a, e, f
falsch: b, c, d

**7** b, c, g

**8** b

**10** a ja
b ja
c nein

**11** 1 Mädchen: a, b, c, d, f, h
Frau Holle: e, g, i
2 a4 b1 c9 d7 e6 f3 g8 h2 i5
3 *Lösungs:* SO EIN PECH

**12** S= c, f H= b, d B= a, e

## Vom Fischer und seiner Frau

**2** Fischer= b, e, g
Butt= a, f, i
Frau= c, d, h

**3** richtig: a, b, e
falsch: c, d

**4** Hühnerstall: g
Haus: b, d, e
Schloss: a, c, f, h, i

**5** b

**6** 1b 1c 2a 2c 3c

**7** Haus: c, f
Schloss: d, k
Königin: a, g
Kaiserin: h, j
Papst: b, e, i

## Reihe Leichte Literatur

So macht Literatur Spaß: spannend und einfach in gutem Deutsch auf verlässlichem A2-Niveau nacherzählt und mit farbigen Bildern ansprechend gestaltet.

Wahlweise erhältlich als Leseheft oder Hörbuch (Leseheft und Audio-CD mit Hörfassung).

**Siegrieds Tod**
nach Motiven aus dem Nibelungenlied
frei erzählt von Franz Specht

- Leseheft
  ISBN 978-3-19-011673-7
- Hörbuch (Leseheft und Audio-CD)
  ISBN 978-3-19-001673-0

**Faust**
Eine kleine Werkstatt zu einem
großen Thema von Franz Specht

- Leseheft
  ISBN 978-3-19-111673-6
- Hörbuch (Leseheft und Audio-CD)
  ISBN 978-3-19-101673-9

**Fräulein Else**
Arthur Schnitzlers Novelle
neu erzählt

- Leseheft
  ISBN 978-3-19-211673-5
- Hörbuch (Leseheft und Audio-CD)
  ISBN 978-3-19-201673-8

**Bergkristall**
Eine Weihnachtsgeschichte nach Adalbert
Stifter von Urs Luger nacherzählt

- Leseheft
  ISBN 978-3-19-501673-5
- Hörbuch (Leseheft und Audio-CD)
  ISBN 978-3-19-511673-2

Die Reihe wird fortgesetzt.

**www.hueber.de**